肉・魚・卵・乳製品・砂糖・だし不要！

あな吉さんのゆるベジ

フードプロセッサーで
野菜どっさりレシピ

「ガー」「ガッガッ」ですぐできる！
簡単おいしい野菜メニュー

浅倉ユキ

河出書房新社

はじめに

こんにちは、あな吉こと浅倉ユキです。another ～ kitchen（アナザー・キッチン）という「肉・魚・卵・乳製品・砂糖・だし」を一切使わないお料理教室を開いて、ゆるベジライフを提案しています。ゆるベジとは、「現代人がつい食べすぎてしまう動物性食品や砂糖などを加えずに、野菜や豆、海藻などをおいしく楽しくたっぷり食べよう！」というライフスタイル。

でも作るのがむずかしくては、続きません。そこで「野菜を楽しく、たくさん食べ続けるためには、面倒な作業をすべて引き受けてくれるフードプロセッサーが不可欠！」と、これまでも私のレシピには頻繁にフードプロセッサーが登場してきました。「本当に買ったほうがいいですか？」と相談されるたびに、「ぜったい買ったほうがいい！」と太鼓判を押してきたのです。

「そうは言っても、私は料理がそんなに得意じゃないから……。買っても使いこなせるかしら」とおっしゃる方は多いようです。でもそれは、フードプロセッサーは下ごしらえに使うもの、というイメージをもっているからではないでしょうか。「下ごしらえが必要なほど、凝った料理を作らないし」と二の足を踏んでいる方は、本書の1章をぜひご覧くださいね。材料を入れてガーしただけで、ほらもう、でき上がり！　という料理だって、たくさんあるのです。

「実は昔、買ったんだけど、あまり使ってないのよねぇ……」という方は、まず買ってきた箱を処分しましょう。だって使うたびに扉の奥のほうから取り出して、さらに箱から出して……、なんてやっていたら、使いこなせるはずがありませんからね。箱を捨てて、コンセントの届くところに出しっぱなしにしておくこと。これがフープロユーザーになるための第一歩なのです。と言うと、「その場所がないのよ」という返事がきそうですが、鍋を捨ててでもいいから場所を作るべし！　だいたいコンロが２つか３つしかないのに、鍋をそんなにいっぱいもっている必要なんて、ないと思うんです。フードプロセッサーの便利さを考えたら、そのぐらいの価値はあると思います。

「洗うのが大変だから、結局手でやったほうが早いんじゃない？」という方は、肉のミンチなどをしたときの、動物性の脂汚れのイメージが強烈だったのかもしれませんね。でも野菜中心に使うなら、水で軽くすすぐだけでピカピカになるので、面倒なことはまったくありません。そしてにんじん1本みじん切りにするのに、10秒かからないんですから、手でやったほうが早いなんてことは、ぜったいにないと思います。

フードプロセッサーがあれば料理が早い、スイッチひとつ押すだけでラクラク！　というメリットはもちろん、凝ったように見える料理や、手作りパンなども簡単に作れるようになり、料理のバリエーションがぐっと広がる、まさにキッチンにおける革命的な道具なのです。野菜たっぷりの料理を楽しく作って、これまで以上にみなさんの食生活がヘルシーになることを願っています。

CONTENTS

chapter 4

「ガー」「ガッガッ」するから簡単！ スイーツとクイックブレッド

Column

この本の決まり

＊1カップは200ml、1合は180ml。
＊大さじ1は15ml、小さじ1は5ml。
＊小さじ1/6以下の分量は、「ひとつまみ」または「少々」としています。「ひとつまみ」は親指と人さし指と中指の3本でつまんだ分量。「少々」は親指と人さし指の2本でつまんだ分量で、「ひとつまみ」よりもやや少なめです。
＊材料表の「揚げ油」は、なたね油（p.93参照）のことですが、手元にない場合はサラダ油で代用してください。温度については、高温は180℃以上、中温は170～180℃、低温は150～160℃です。
＊オーブンは機種によって、温度、焼き時間に多少の差が出るので、表示の時間を目安にして、様子を見ながら焼いてください。
＊基本的に野菜の皮はむきません。皮つきのままだと料理の味が損なわれるもののみ「皮をむいて」と書いています。
＊フードプロセッサーに野菜を入れるときは、あらかじめ適当な大きさに切っておきます。
＊**「ガー」**と**「ガッガッ」**とは、フードプロセッサーにかけるという意味で、料理教室でいつも使っている‘あな吉用語’です。**「ガー」**はスイッチを切らずにまわし続けること。**「ガッガッ」**は1～2秒間隔で短く何度かまわすことです。

細かくするには、続けて「**ガー**」。

粗くするには、短く「**ガッガッ**」。

フードプロセッサーにできること

フードプロセッサーが1台あれば、驚くほどいろいろなことが簡単にできます。

刻む

フードプロセッサーといえば、一般的には「野菜のみじん切り機」と称されるほど、刻むのは大得意です。包丁ではかたく感じるかぼちゃやれんこん、ごぼうなどの野菜も、一瞬でみじん切りに。日ごろの下ごしらえはもちろん、今までにはない新食感のレシピもラクラク。なめらか食感の料理が気軽に作れるようになり、レパートリーがぐんと広がります。

→ かぼちゃのクリーミーリゾット（p.33参照）、ダブルれんこんのはさみ焼き（p.43参照）、ごぼう中華おこわ（p.54参照）など

すり潰す

繊維のやわらかい野菜なら、みじん切りよりさらに細かい、すり潰す作業もあっという間。すり鉢であたったような食感を作りだすのは、フードプロセッサーの得意技です。大根とパン粉を合わせたペースト、蒸した里芋の重たいディップや、焼いた赤パプリカのなめらかで軽い食感のディップも作れます。

→ パン粉でツナ!?（p.18参照）、里芋のなめろう（p.23参照）、赤パプリカのディップ（p.64参照）など

砕く

乾物、ごまやナッツ類などを粉砕することができます。ただし、ミルサーではないので、かたすぎるもの（コーヒー豆など）や、繊維の多い乾物（乾燥したままの切干大根など）は、製品によって粉砕できない場合もあるのでご注意ください。

→ 春菊団子の黒ごま和え（p.68参照）、じゃがいもと白ごまのプリン（p.83参照）など

つく

フードプロセッサーにごはんを入れてガーすれば、粒感を残しながら、ねばりのある餅のような食感を引き出せます。実に気軽に、ごはんを軽くつく作業ができるというわけ。いつでも家にあるごはんを使ったアレンジメニューは、知っておくととっても便利。重宝しています。

→ 金時豆のライスコロッケ（p.52参照）、ひと口しそおはぎ（p.76参照）など

均一に混ぜる

いくつかの食材を均一に混ぜ合わせることができます。野菜と調味料などを組み合わせて一体感のあるソースを作るだけでなく、粉と油をまんべんなくすり合わせて、キメの細かいキッシュ生地などを簡単に仕上げることもできます。

→ 豆腐のタルタルソース（p.16参照）、ミニトマトの水玉キッシュ（p.62参照）など

粉をこねる

うどんやパンなど、これまで時間と力が必要とされた生地作りの作業も、フードプロセッサーがあればラクラク。しかもうどん生地の場合、最小限の水分でこねられるので（手ごねでは無理）、コシが増したおいしいうどんが作れます。少ない打ち粉でのばせるので、台やめん棒などの後片づけもラクです。

→ しそうどん＆梅うどん（p.60参照）

野菜の水分で粉をこねる

かなり気に入っている使い方のひとつ。フードプロセッサーなら、パンやお菓子を作るとき、水を一切使わずに、野菜の水分だけで粉をこねることができます。このテクニックを使えば野菜ギライの人だって、驚くほど大量の野菜をラク〜に食べることができます。

→ 小松菜のトッポッキ風（p.58参照）、中華大根パン（p.86参照）、青菜の海苔エビ（p.88参照）など

フードプロセッサー Q&A 1

Q　ミキサーやミルサーとの違いはなんですか？

A　フードプロセッサーにしかできないことって、たくさんあるんです！

フードプロセッサーはp.6～7でもご紹介しているように、「刻む」「すりつぶす」「砕く」「つく」「均一に混ぜる」「粉をこねる」などができる家電製品。続けてガーすれば細かく、短くガッガッすれば粗くできるというように、用途に応じて使い分けられるのも特徴です。
ミキサーは食材を撹拌しながらすりつぶし、液状にする道具。水分のあるものをなめらかなピューレ状にすること以外はできません。野菜を刻んだり、粉をこねたりすることも、もちろんNG。
ミルサーは乾燥した食材を撹拌しながら砕き、粉末にする道具。また、ミキサーの小型版としての使い道もあります。それ以外はミキサー同様で、野菜を刻んだり、粉をこねたりすることなどはできません。

Q　価格がまちまちだけど、どれを選んだらいいの？

A　フードプロセッサーの価格の違いは、主に「モーターパワー」と「ナイフカッターの品質」の差です。

家電量販店では、数千円の価格の機種も売られています。一概には言えないと思いますが、低価格品はモーターパワーが弱い場合があり、うどん生地などを練っていると、「モーターに負担がかかって途中で止まってしまった」、または「煙が出て壊れてしまった」などの声を聞くこともあります。
また、ナイフカッターの材質には「ステンレス製」、切れ味の鋭い「チタン製」、より硬度が高くなった「ブラックハードチタン製」などがあり、材質の違いが価格に反映されています。
私が愛用している機種は、パナソニックの「MKシリーズ」で、オプションの数などにもよりますが、1万円から2万円ぐらいで手に入ります。シンプルで使いやすい機能、清潔感のあるガラス製ボウル（容器）、そして切れ味のよいナイフカッターなどが気に入っています。国産大手メーカーは製品の使いやすさだけでなく、アフターフォローも安心。パーツの取り寄せが可能なので、切れ味が悪くなったらナイフカッターだけを買い替えられ、万が一の場合の修理などもスピーディーに対応してもらえます。
「どうせ買うなら海外メーカーの高級機種がいいのかしら？」と迷う声もよく聞きますが、最近は国内メーカーの製品もレベルアップしています。もちろん大きなボウル（容器）やハイパワーなどの魅力はありますが、「価格差ほどの違いはないかも」というのが正直な感想。
また、スティック型のハンディー・フードプロセッサーは、収納がコンパクトなため人気がありますが、スタンド型に比べるとパワーが弱く、野菜の水分だけで生地をこねたり、一度にたくさんの食材を刻んだりする作業はできません。そのため、この本のすべてのレシピを作れるとは限りませんのでご注意ください。
いずれにせよ、あまりコンパクトサイズの製品は、避けたほうが無難。レシピ通りの分量を一度に作ることができず、結局何度にも分けて作業することになるので、かえって面倒。少人数のご家族でも、まとめ作りなどのメリットを考えて、通常サイズの購入がおすすめです。

Q　おろしカッターや、せん切りカッターなどのオプションは必要ですか？

A　あればけっこう便利です！

本書のレシピでは、すべてナイフカッターのみを使用しています。それは、オプション刃がついていない機種もあるから。
でも、「おろし・とろろカッター」は便利ですよ。大根おろしを作るほか、例えばれんこんをすりおろして揚げたり、また、お菓子作りのために、にんじんやかぼちゃをおろしたりすることも。
それから、「スライス・せん切りカッター」もよく使います。みじん切りとは違った食感になるので、料理によっては、こちらのほうが見ばえや食べごたえがアップします。
なお、「パンこね用の羽根」は、私はあまり使いません。本書で紹介しているクイックブレッドなどの「野菜の水分だけで粉をこねる」レシピでは使うことができないので、今回はパン生地作りでもナイフカッターのみを使用しています。

おろし・とろろカッター

スライス・せん切りカッター

→p.92のフードプロセッサー Q&A 2に続きます。

chapter 1

「ガー」「ガッガッ」して、そのまま食べられる！

フードプロセッサーに放り込むだけで
あっという間に完成！ の
お手軽メニューです。
おいしいだけでなく、見た目も華やかなので、
おもてなし料理としても活躍します。

冷ややっこはお手軽な人気メニューですが、
野菜不足になりがちです。
そこで、にらとごま油のパンチがきいた
野菜ソースを作って、
豆腐と合わせてみました。
しっかりとした味に仕上がるので、
男性にも人気があります。

韓国風にらやっこ

Stock Memo

おいしく保存できるのは
冷蔵庫：2～3日

〔材料：2人分〕

乾燥わかめ … 4g
✻ キャベツ … 50g
✻ にら … 20g（約1/5束）
✻ 醤油 … 小さじ4
✻ 酢 … 小さじ1
✻ ごま油 … 小さじ2
✻ ガーリックオイル（p.93参照）
　… 小さじ1
豆腐（絹ごしでも木綿でも）… 1丁
白ごま … 小さじ1
糸唐辛子（あれば）… ひとつまみ

〔作り方〕

1 フードプロセッサーに乾燥わかめを入れて**ガー**。

2 **1**に✻を加えて、さらに**ガー**。そのまま2～3分、わかめが野菜の水分を吸ってやわらかく戻るまで置く。

3 豆腐を食べやすい大きさに切って器に盛り、**2**をのせる。白ごまと、あれば糸唐辛子を飾る。

1

2

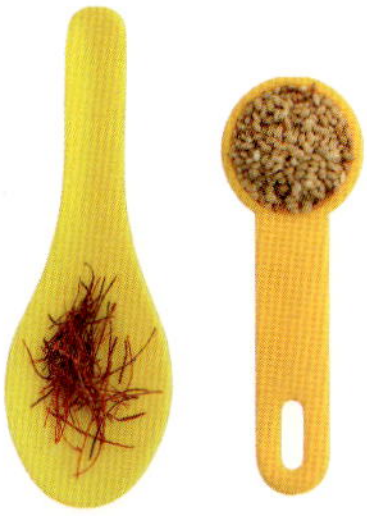

anakichi's Memo

作ってから食べるまでに時間がある場合は、豆腐と2の野菜ソースをそれぞれ別の器に盛っておきましょう。

冷製トマトヌードル

Stock Memo

保存はせずに、
ぜひ作りたてを
召し上がってください。

〔材料：2人分〕

そうめん … 80g
✻ トマト
　… 中2個
✻ オリーブオイル
　… 大さじ1
✻ 塩 … 小さじ⅔

もしかして世界でいちばん簡単!? な
火を通さないタイプのトマトソース。
フレッシュトマトの
さっぱりとした酸味がたまりません。
そうめんだけでなく、うどんやスパゲティと
和えてもおいしいですよ。

〔作り方〕

1

そうめんは袋の表示通りに茹でて流水で洗い、しっかりと水気をきる。

2

そうめんを茹でている間に、フードプロセッサーに✻を入れる。トマトはヘタだけ取れば、皮はついていてもOK。

3

トマトがジュース状になるまで**ガー**。少し粒感が残っているほうがおいしい。

4

1と**3**を和える。

Anakichi's Memo

トマトの皮は湯むきをしなくても、**ガー**すれば気にならなくなります。

甘辛くるみ味噌

しっかり甘いのにノンシュガーなのは、鉄分豊富なレーズンをたっぷり練り込んだから。
お好みの野菜に添えたり、白ごはんにのせたり。
そのままでもお酒のおつまみとして食べごたえあり。

Stock Memo

おいしく保存できるのは
冷蔵庫：2～3日

〔材料：2人分〕

✻にんじん … 50g（約中½本）
✻レーズン … 30g
✻味噌 … 大さじ1
✻くるみA … 15g
くるみB … 15g
お好みの野菜（セロリ、きゅうりなど）… 適量
クコの実（あれば）… 少々

〔作り方〕

1

フードプロセッサーに✻を入れる。

2

細かくなるまで**ガー**。ボウル（容器）に飛び散ったものは、ヘラでぬぐってから、くり返し**ガー**するとよい。

3

2にくるみBを加えて、粗みじんになるまで**ガッガッ**。くるみが粗く残っている状態ででき上がり。

Anakichi's Memo

砂糖の代わりに、食物繊維たっぷりのレーズンを使って甘みをプラスします。レーズン独特のしゃっきり＆ぐにょっとした食感を残さないために、細かくなるまでしっかりと**ガー**します。

Anakichi's Memo

くるみを2回に分けて加えるのは、まず**ガー**して全体に味をなじませ、次に**ガッガッ**して食感を残すため。代わりにピーナッツを使ってもおいしく作れます。

4

お好みの野菜とともに器に盛り、あればクコの実を飾る。

豆腐のタルタルソース

フライとタルタルソースは最高の組み合わせですが、
カロリーのことを考えると、たくさんつけて食べるのはちょっと気になります。
でも豆腐を使ったノンオイルのヘルシーなタルタルソースなら、思う存分味わえますね！

Stock Memo

保存はせずに、
ぜひ作りたてを
召し上がってください。

〔材料：2人分〕

✻ きゅうり … 30g（約¼本）
✻ 玉ねぎ … 10g
✻ 塩 … 小さじ⅔
✻ 酢 … 小さじ1
✻ 白味噌 … 小さじ½
✻ 白こしょう … 少々
✻ 絹ごし豆腐 … 100g

〔作り方〕

1

フードプロセッサーに✻を入れる。

2

なめらかになるまで**ガー**。

anakichi's Memo

白味噌（p.93参照）を加えることで、豆腐くさ さが消えて食べやすくなります。

anakichi's Memo

作ってから食べるまでに時間がある場合は、絹ごし豆腐の水気を軽くきってから作りましょう。

にんじんフライ

〔材料：にんじん1本分〕

にんじん … 1本
✻ 薄力粉 … 大さじ5
✻ 水 … 大さじ3～4
パン粉 … 適宜
揚げ油 … 適量

〔作り方〕

1

にんじんは長さを半分に切り、8mm角のスティック状に切る。ボウルに✻を入れてよく溶き混ぜ、にんじんをからめる。

2

バットにパン粉を入れ、**1**を転がしてまぶす。

3

フライパンに揚げ油を中温に熱し、**2**を3～4分揚げる。

パン粉でツナ!?

パン粉に野菜の水分を吸わせてペースト状にしたら、
さっぱりとしたツナディップ風の味わいに！！
お好みの野菜スティックに添えるほか、パンに塗るのもおすすめです。

Stock Memo

おいしく保存できるのは
冷蔵庫：1〜2日

［材料：2人分］

- ✻大根 … 150g（3〜4cm）
- ✻玉ねぎ … 10g
- ✻パン粉 … 60g
- ✻醤油 … 小さじ2 ½
- ✻レモン汁 … 小さじ1 ⅓
- ✻ガーリックオイル（p.93参照） … 小さじ2
- ✻粗びき黒こしょう … 少々

Anakichi's Memo

大根は、上部⅔の甘みのある部分を使ってください。辛みのある部分を使うと、まったく別の味になってしまいます。

［作り方］

1

フードプロセッサーに✻を入れる。

2

大根が細かくなり、全体がペースト状になるまで**ガー**。ボウル（容器）に飛び散ったものは、ヘラでぬぐってから、くり返し**ガー**するとよい。

ずっと夢だったベジサラミが、ついに完成！
粗めに潰した黒豆の食感と、
黒こしょうの香りが絶妙にマッチしています。
薄くスライスして、
そのままパクリと食べてください。
かたくなったら、ほぐしてスープに入れたり、
和えものに使ったりしてもいいですよ。

黒豆スパイシーサラミ

Stock Memo

おいしく保存できるのは
冷蔵庫：3～4日

〔材料：2人分〕

乾燥黒豆 … ½カップ
水 … 400ml
上新粉 … 60g
黒こしょう（ホール）… 小さじ⅓
✽ 醤油 … 大さじ1 ½
✽ にんにく … 3g（約中⅓片）
✽ しょうが … 3g（約⅓片）
黒豆の茹で汁 … 大さじ2～3

〔作り方〕

1

乾燥黒豆はサッと洗って鍋に入れ、水を注ぐ。強火にかけ、沸騰したらフタをして弱火にし、20～25分茹でる。

2

1の黒豆がかための枝豆くらいになったら、火を止める。

3

黒豆を茹でている間に、フライパンに上新粉を入れて、中火で1～2分から炒りする。

4

フードプロセッサーに黒こしょうを入れて**ガー**。

5

4に✽、**2**の水気をきった黒豆（茹で汁はとっておく）、**3**の上新粉を加えて、さらに**ガー**。

6

5に黒豆の茹で汁大さじ2を加えて、さらに**ガッガッ**。まとまりにくいようなら、さらに黒豆の茹で汁大さじ1を加えて、**ガッガッ**。

7

ラップをのせた巻きすに取り出して棒状（直径4cm、長さ10cm）に押しかため、きつく巻きつけて形を整える。

Anakichi's Memo

黒豆は**ガー**しすぎて、すべて潰してしまわないようにします。粗めのほうがおいしいです。

さっぱりノンオイルコールスロー

某ファーストフード店のようなキャベツなどのみじん切りサラダ。
最初にフードプロセッサーで豆腐マヨネーズを作ったら、
そこに野菜をかたい順に加えていくだけで、超簡単！

Stock Memo

おいしく保存できるのは
冷蔵庫：1～2日

［材料：2人分］

✻ 白味噌 … 小さじ1
✻ 塩 … 小さじ½
✻ 酢 … 小さじ2
✻ 白こしょう … ふたふり
✻ 絹ごし豆腐 … 150g
✻ 玉ねぎ … 10g
にんじん … 50g（約中½本）
キャベツ … 100g
コーン（冷凍ならサッと茹でる）… 30g

［作り方］

1 フードプロセッサーに✻を入れて**ガー**。

2 1ににんじんを加えて、細かくなるまで**ガー**。

3 2にキャベツを加えて、粗みじんになるまで**ガッガッ**。

4 3にコーンを加えて、ヘラで混ぜ込む。味見をして薄ければ、塩少々（分量外）で味をととのえる。

里芋のなめろう

「ベジのなめろうが食べたい」というリクエストにお応えして、
里芋でねっとりとした食感を表現。
たっぷりの薬味が入れば、まさに「なめろう」です。

Stock Memo

おいしく保存できるのは
冷蔵庫：1～2日

［材料：2人分］

✻ 里芋（蒸して〈茹でて〉皮をむく）
　… 100g（約中3個）
✻ 青じそ … 6枚
✻ 白ごま … 小さじ2
✻ 青海苔 … 小さじ2
✻ 味噌 … 小さじ2
✻ おろししょうが
　… ひとつまみ～ふたつまみ
　（お好みで増減）
刻み万能ねぎ … 少々

［作り方］

1 フードプロセッサーに✻を入れて、里芋がねっとりとしたペースト状になるまで**ガー**。

2 器に盛り、刻み万能ねぎを散らす。

Anakichi's Memo

あればみょうがが少々を加えて、**ガー**してもおいしいです。

鉄分たっぷりサラダ

鉄分やカルシウムが豊富なパセリ。
ガーしてサラダに混ぜ込むことで、たっぷりと食べることができます。
赤、緑、黒、生成色と目にも鮮やか。
ほどよい酸味で、女性にうれしい一品です。

Stock Memo

おいしく保存できるのは
冷蔵庫：2～3日

〔材料：2人分〕

芽ひじき … 大さじ1
赤パプリカ … 約½個
ガーリックオイル（p.93参照） … 小さじ1
大豆（水煮） … 70g
✻酢 … 大さじ½
✻塩 … 小さじ½
✻粗びき黒こしょう … 少々
パセリ … 20g

〔作り方〕

1 芽ひじきはたっぷりの湯（分量外）に10分ほど浸けて戻す。

2 赤パプリカは5mm角に切る。

3 フライパンにガーリックオイルを中火で熱し、**1**の芽ひじき、**2**の赤パプリカ、大豆を入れてサッと炒め、火を止める。✻を加えて、よく混ぜる。

4 フードプロセッサーにパセリを入れて、細かくなるまで**ガー**。**3**に加えて、混ぜ合わせる。

Anakichi's Memo

赤パプリカは**ガー**しないで、
粗めに切って混ぜるほうが、
きれいに仕上がります。

chapter

2

「ガー」「ガッガッ」して、煮込む

フードプロセッサーを使えば
煮込み時間はぐんと短縮。
手間ひまかけなくても、
野菜づくしで食べごたえ満点の
メインおかずができ上がります。

「ごぼうをささがきにする」と思ったとたん、
なんだか面倒くさくなりませんか？
フードプロセッサーがあれば、ごぼう料理もラクラク。
黒ごまと醤油で仕上げた、和風味のマーボー豆腐です。

ごぼうのまっくろ和風マーボー豆腐

Stock Memo

おいしく保存できるのは
冷蔵庫：1〜2日

〔材料：2人分〕

✻ ごぼう … 60g（約⅓本）
✻ 長ねぎ（青い部分でも可）
　… 15g（約6cm）
✻ にんにく … 3g（約中⅓片）
✻ しょうが … 3g（約⅓片）
ごま油 … 小さじ2
◆ 水 … 150ml
◆ 醤油 … 大さじ1
◆ 片栗粉 … 小さじ2
豆腐（絹ごしでも木綿でも）
　… 200g
黒ごま … 大さじ2
七味唐辛子 … 適宜

〔作り方〕

1 フードプロセッサーに✻を入れて、細かくなるまで**ガー**。

2 フライパンにごま油を弱火で熱し、**1**を入れて5分ほど炒める。◆をよく溶き混ぜて加え、強火にし、よく混ぜて煮立て、とろみをつける。

3 **2**に1.5cm角に切った豆腐、黒ごまを加える。豆腐が温まったらでき上がり。

4 器に盛り、七味唐辛子をふる。

1

2

3

anakichi's Memo

こぼうのアクはポリフェノールの一種なので、あえてアク抜きはしていません。**ガー**してすぐに油で炒めると、アク止めになります。

せん切りきゅうりのジャージャーソースがけ

Stock Memo

おいしく保存できるのは
冷蔵庫：2～3日
冷凍庫：2週間
※ジャージャーソースのみ

〔材料：2人分〕

干ししいたけ
(軸を折って取る)…3枚
湯…200ml
✻ にんじん…100g（約中1本）
✻ お好みの野菜
(大根、れんこんなど)
…計100g
✻ しょうが…5g（約½片）
ごま油…小さじ1
◆ 味噌…大さじ1
◆ 白味噌…小さじ1
◆ 干ししいたけの戻し汁
＋水…150ml
◆ 醤油…大さじ1
◆ 白こしょう…少々
✚ 片栗粉…小さじ2
✚ 水…大さじ2
お好みでラー油…適宜
きゅうり（せん切り）…1本分

〔作り方〕

1

干ししいたけは湯に10分ほど浸けて戻し、水気を絞る（戻し汁はとっておく）。

2

フードプロセッサーに✻、**1**のしいたけを入れる。

3

細かくなるまで**ガー**。

anakichi's Memo

いろんな野菜がないときは、にんじん100%で作ってもおいしく仕上がります。

4

フライパンにごま油を強火で熱し、**3**を入れて2～3分炒める。

5

4に◆を加えて中火にし、沸騰してから2～3分炒め煮して、✚をよく溶き混ぜて加える。

6 とろみがついたら、お好みでラー油を加えて火を止める。

7 器にきゅうりを盛り、**6**のジャージャーソースをのせる。

ジャージャーというと麺ですが、
野菜にかけておかずにしても美味。
なかなか家にないたけのこの代わりに、
にんじんでシャキシャキとした食感を
演出したのが、お手軽でしょ。
せん切りきゅうりのほか、
レタスや茹でたキャベツにのせてもよく合います。

切干大根、干ししいたけ

玉ねぎ、小豆

小豆の欧風カレー

乾物のドライカレー

乾物のドライカレー

ファイバーカレーの別名もある、
食物繊維たっぷりのカレーです。
乾物独特の食感とひなびた風味を
よくかんで楽しんでください。

Stock Memo
おいしく保存できるのは
冷蔵庫：3～4日
冷凍庫：2週間

［材料：2人分］

切干大根 … 10g
干ししいたけ（軸を折って取る）… 1枚
水 … 100ml
高野豆腐 … 1枚
芽ひじき … 3g
ガーリックオイル（p.93参照）… 小さじ2
✻ 味噌 … 小さじ1
✻ 醤油 … 小さじ2
✻ トマトピューレ … 小さじ2
✻ カレー粉 … 小さじ2
✻ おろししょうが … 小さじ¼

［作り方］

1 切干大根と干ししいたけは、一緒に分量の水に10分ほど浸けて戻す（戻し汁はとっておく）。

2 高野豆腐と芽ひじきは、それぞれかぶるくらいの水（分量外）に10分ほど浸けて戻し、水気をきる。

3 フードプロセッサーに**1**の切干大根としいたけ、**2**の高野豆腐を入れて、細かくなるまで**ガー**。

4 鍋にガーリックオイルを中火で熱し、**3**を入れてサッと炒め、✻、**1**の戻し汁、**2**の芽ひじきを加えて、水分がほとんどなくなるまで炒りとばす。

Anakichi's Memo

残ったらそのまま餃子の具に。茹でたじゃがいもと混ぜ合わせれば、コロッケの具にも使えます。

小豆の欧風カレー

デミグラスソース系の
こっくりとクリーミーな味わいです。
濃いめでマイルドなカレーを好む
男性や、子どもにも人気。

Stock Memo
おいしく保存できるのは
冷蔵庫：2～3日
冷凍庫：2週間

［材料：2人分］

✻ 玉ねぎ … 200g（約中1個）
✻ にんにく … 9g（約中1片）
オリーブオイル … 大さじ1
◆ 塩 … 小さじ⅔
◆ カレー粉 … 小さじ1
✚ トマトジュース … 200ml
✚ 醤油 … 小さじ1
✚ 小豆（水煮）… 1½カップ
無調整豆乳 … 200ml
粗びき黒こしょう … 少々

Anakichi's Memo

玉ねぎを**ガー**すると苦みが出ますが、しっかり煮詰めると、独特の甘みに変わります。

［作り方］

1 フードプロセッサーに✻を入れて、細かくなるまで**ガー**。

2 鍋にオリーブオイルを中火で熱し、◆、**1**を入れて2～3分炒める。

3 **2**に✚を加えて、中火のまま、焦げないようにときどきかき混ぜながら、水分がほとんどなくなるまで、フタをせずに10分ほど煮詰める（photo参照）。

4 **3**に無調整豆乳を加えて、ひと煮立ちしたら火を止め、粗びき黒こしょうをふる。味見して薄ければ、塩少々（分量外）で味をととのえる。

この状態になるまで煮詰めていく。

かぼちゃのクリーミーリゾット

**かぼちゃがちょっとだけ残ったら、
生のままフードプロセッサーにかけて、
食べきってしまうのがいちばん。
かぼちゃの甘みととろみで、想像以上に濃厚な味わいのリゾットに。**

Stock Memo

保存はせずに、
ぜひ作りたてを
召し上がってください。

〔材料：2人分〕

かぼちゃ（種を取る）… 100g
✻ 無調整豆乳 … 400ml
✻ ごはん … 120g
塩 … 小さじ$\frac{2}{3}$〜1
オリーブオイル … 小さじ$\frac{1}{2}$

蒸さずに生のまま使うのがポイント。

〔作り方〕

1 フードプロセッサーにかぼちゃを入れて、粗みじんになるまで**ガッガッ**（photo参照）。

2 鍋に✻、**1**のかぼちゃを入れて強火にかけ、沸騰したら中火にし、焦げないようにときどきかき混ぜながら、フタをせずに10分ほど煮る。

3 かぼちゃがやわらかく煮えたら、火を止めて、塩で味をととのえる。

4 器に盛り、オリーブオイルを回しかける。

豆乳を使わないで作る、
さっぱりとしたクリーム煮を考えてみました。
にんじんや大根といったおなじみの野菜が、
カシューナッツのパウダーで、
コクのあるおしゃれな味に変身します。

にんじんの
カシューナッツクリーム煮

Stock
Memo

おいしく保存できるのは
冷蔵庫：2～3日

〔材料：2人分〕

カシューナッツ … 20g
にんじん … 100g（約中1本）
大根 … 200g（5～6cm）
✻ 水 … 200ml
✻ 塩 … 小さじ⅔
ガーリックオイル（p.93参照） … 小さじ1

〔作り方〕

1

フードプロセッサーにカシューナッツを入れて、パウダー状になるまで**ガー**。容器に取り出しておく。

2

にんじんは厚さ1cmの輪切りにする。

3

1のフードプロセッサーに大根を入れて、細かくなるまで**ガー**。

4

鍋に✻、**2**のにんじん、**3**の大根を入れて強火にかけ、煮立ったら弱火にし、フタをして20～30分煮る。

5

にんじんがやわらかく煮えたら、フタをあけて強火にし、余分な水分をとばす。

6

5にガーリックオイル、**1**のカシューナッツを混ぜ合わせたらでき上がり。

きのこのボンゴレ風ソース

きのこの食感はなくなり、うまみだけが凝縮され、
まるで貝のエキスみたいな味！
いろいろなきのこがちょっとずつ残っているとき、重宝するメニューです。
蒸したじゃがいもなどの野菜やスパゲティにからめて、どうぞ。

Stock Memo

おいしく保存できるのは
冷蔵庫：2～3日
冷凍庫：2週間

Anakichi's Memo

冷凍保存の場合、とろみがなくなるので、食べる前に水で溶いた片栗粉でとじなおしてください。

〔材料：2人分〕

きのこ（しいたけ、しめじなど／石づきを除く）…計100g
ガーリックオイル（p.93参照）…小さじ2
✻ 赤唐辛子（輪切り）…⅓本分
✻ 塩…小さじ⅔
◆ 水…100ml
◆ 片栗粉…小さじ½

〔作り方〕

1 フードプロセッサーにきのこを入れて、細かくなるまで**ガー**。

2 フライパンにガーリックオイルを中火で熱し、✻、**1**を入れて2分ほど炒める。

3 ◆をよく溶き混ぜて加え、とろみがついたら火を止める。

れんこん餅のきんちゃく煮

油揚げのコク、れんこんの甘み、きのこの食感のバランスがよく、
だしを使わないことで、素材のうまみを際立たせたメニュー。
れんこんに白玉粉を合わせると、
まとまりやすく、食べやすい！

Stock Memo

おいしく保存できるのは
冷蔵庫：2～3日
冷凍庫：2週間

［材料：2人分］

- ✻ れんこん … 100g（約中1節）
- ✻ 白玉粉 … 大さじ3
- しめじ（石づきを除く）… 30g
- 油揚げ … 2枚
- ◆ 水 … 200ml
- ◆ 醤油 … 小さじ2
- ◆ おろししょうが … 小さじ1/8

［作り方］

1 フードプロセッサーに✻を入れて、細かくなるまで**ガー**。

2 しめじはほぐしておく。

3 油揚げは半分に切って袋状に開き、**1**と**2**のしめじを4等分にして詰め、ようじで口を閉じる。

4 鍋に◆と**3**を入れて強火にかけ、沸騰したら中火にし、フタをして10分ほど煮る。

Anakichi's Memo

冷蔵保存、冷凍保存のどちらの場合も、食べる前に水を足して煮返してください。

野菜と雑穀のつぶつぶスープ

冷蔵庫に残った野菜を一掃できる、おいしいダシいらずのスープ。
雑穀のつぶつぶとした食感が楽しくて、よく作っています。
煮込んで甘みが出る野菜ならなんでも使えますが、
青菜は向いていません。

Stock Memo

おいしく保存できるのは
冷蔵庫：2〜3日
冷凍庫：2週間

〔材料：2人分〕

お好みの野菜（にんじん、大根、
　白菜、キャベツなど）… 計100g
ガーリックオイル（p.93参照）
　… 小さじ½
✻水 … 300ml
✻雑穀ミックス … 大さじ3
✻塩 … 小さじ⅔
✻ローリエ … 1枚
水 … 300〜400ml

〔作り方〕

1 フードプロセッサーにお好みの野菜を入れて、細かくなるまで**ガー**。

2 鍋にガーリックオイルを中火で熱し、**1**を入れて3分ほど炒める。

3 **2**に✻を加えて強火にし、煮立ったら弱火にして、フタをして15分ほど煮る。

4 いちばん大きな雑穀が煮えたら、さらに水を加えて、塩加減がちょうどよくなるまで薄め、再度煮詰める。火を止めて、ローリエを取り出す。

Anakichi's Memo

ローリエは、取り出さずに入れっぱなしにしておくと、苦くなるので注意です。

chapter

3

「ガー」「ガッガッ」して、いろいろ

フードプロセッサーを使ったあと
「フライパンで焼く」「炒める」「揚げる」
「ごはんに炊き込む＆混ぜる」
「粉に練り込む」「オーブンで焼く」。
バラエティー豊かに、
あな吉流の野菜アレンジが広がります。

粗みじんにしたきゅうりのやさしい口当たりと、
しょうがと塩のさっぱりとした味わいが、クセになるおいしさ！
具にパン粉を混ぜるのは、
きゅうりの水分を吸わせるための工夫です。

ガッガッして、
フライパンで焼く

きゅうりの塩餃子

Stock Memo

おいしく保存できるのは
冷蔵庫：2～3日
冷凍庫：2週間
※焼いてから
保存します。
食べる前にフライパンで
温めなおしてください。

［材料：15～16個分］

✽ きゅうり … 約1本
✽ パン粉 … 大さじ4
✽ おろししょうが … 小さじ1/3
✽ 塩 … 小さじ1/4
✽ 白こしょう … 少々
餃子の皮 … 15～16枚
ごま油 … 少々
水 … 大さじ2

［作り方］

1 フードプロセッサーに✽を入れて、きゅうりが粗みじんになるまで**ガッガッ**。

2 餃子の皮で**1**を包む。

3 フライパンにごま油を中火で熱し、**2**を並べる。底面に焼き色がついたら、水を注いで弱火にし、水分がなくなるまで、フタをして3～4分焼く。

Anakichi's Memo

餃子の皮に包んだら、すぐに焼いてください。作ってから焼くまでに時間があると、水分が染み出して、皮が破けてしまいます。

ガッガッして、
フライパンで焼く

ポテトのハッシュドバーグ

つなぎのオートミールがザクザクと軽快な食感を演出。
フードプロセッサーから取り出した生地は、
まとまりが悪くてパラパラしていますが、
フライパンにのせて火を通すと、次第にまとまってきます。

Stock Memo

おいしく保存できるのは
冷蔵庫：2～3日
冷凍庫：2週間

［材料：4個分］

✻ じゃがいも … 100g（約中1個）
✻ オートミール … 大さじ3
✻ 醤油 … 小さじ1
なたね油（サラダ油でも可）… 大さじ1
黒こしょう … 少々

anakichi's Memo

オートミールの代わりに、パン粉を入れると、モチモチとした食感になります。

［作り方］

1 フードプロセッサーに✻を入れて、じゃがいもが粗みじんになるまで**ガッガッ**。

2 **1**を4等分にして、厚さ5mmのハンバーグ状にヘラで形を整える。

3 フライパンになたね油を弱火で熱し、**2**を並べて、表面に黒こしょうをふる。弱火のまま、フタをして片面2～3分ずつ焼く。

ガーして、フライパンで焼く

ダブルれんこんのはさみ焼き

ひき肉の代わりに、れんこんをガーしたタネを、
さらにれんこんではさみました。
れんこんはアク抜きをせず、皮もむいていないので、
でき上がりの色は紫っぽくなりますが、その分うまみと栄養は満点。

Stock Memo

おいしく保存できるのは
冷蔵庫：2〜3日
冷凍庫：2週間

［材料：4個分］

れんこん…150g（約1 ½節）
✻味噌…小さじ1
✻片栗粉…小さじ1½
青じそ…4枚
片栗粉…適宜
なたね油（サラダ油でも可）…小さじ1

片栗粉はのり代わりに必ずつけること。

［作り方］

1 れんこんは縦半分に切り、厚さ5mmに8枚スライスする。

2 フードプロセッサーに✻、1の残りのれんこんを入れて**ガー**。

3 2を4等分にして青じそで包み、青じその表面に片栗粉を薄くまぶし、1のれんこん2枚ではさむ（photo参照）。

4 3の表面にも片栗粉をまぶす。

5 フライパンになたね油を弱火で熱し、4を並べ、フタをして片面3分ずつ焼く。

パセリのほろ苦さと、
パン粉のサクサク感、ガーリックオイルのコクが
食欲をそそります。
蒸しきのことの相性は抜群ですが、
パスタ料理にもよく合います。

ガーリックパセリパン粉 いろんな蒸しきのこ添え

ガーして、
炒める

Stock Memo

おいしく保存できるのは
冷蔵庫：1週間
冷凍庫：1ヵ月
※ガーリックパセリパン粉のみ。

〔材料：2人分〕

パセリの葉 … 10g
ガーリックオイル(p.93参照) … 大さじ1
✻ パン粉 … ½カップ
✻ 塩 … 小さじ¼
◆ きのこ(マッシュルーム、エリンギなど／厚さ3mmの薄切り) … 計100g
◆ 水 … 大さじ1

Anakichi's Memo

パン粉を炒めるとき、焦げそうになったら火を止めて、余熱で炒めましょう。

〔作り方〕

1

フードプロセッサーにパセリの葉を入れて、細かくなるまで**ガー**。

2

フライパンにガーリックオイルを弱火で熱し、**1**を入れてサッと炒める。✻を加えて3分ほど炒め、火を止めて、容器に取り出しておく。

3

2のフライパンに◆を入れて中火にかけ、フタをして3分ほど蒸し焼きにする。

4

器に**3**を盛り、**2**のガーリックパセリパン粉をかける。

ガーして、
炒める

青菜の高菜風チャーハン

「高菜チャーハンを食べたい！」とふと思ったのですが、
高菜を常備しておく習慣がないので、
「別の野菜で高菜風にならないかしら」と考えてみました。
小松菜は下茹でせずに生のまま使うので、とてもラク。気軽に作れます。

Stock Memo

おいしく保存できるのは
冷蔵庫：2～3日
冷凍庫：2週間

［材料：2人分］

小松菜 … 50g（約1株）
ごま油 … 小さじ2
ごはん … 茶碗1杯分

✻ 醤油 … 小さじ1
✻ 酢 … 小さじ1
✻ 白ごま … 小さじ1
✻ 黒こしょう … 少々

［作り方］

1

フードプロセッサーに小松菜を入れて、細かくなるまで**ガー**。

2

フライパンにごま油を強火で熱し、**1**を入れて、水分がなくなるまで2～3分炒める。

3

2にごはんを加えて炒め、✻も加えて、水分がなくなるまでさらに炒める。

anakichi's Memo

小松菜の水分をしっかりと炒めとばすことが、青くささを抜くポイントです。

6 OZS
KRAF
Musta

ザクザク食感♪ 食べるラー油

ガーして、揚げる

昨今、爆発的な人気の食べるラー油。多様な手作りレシピがありますが、フライドオニオンやガーリックなどの加工野菜を使わない、生の野菜のレシピです。粗みじんにしたアーモンドのザクザク食感がたまりません！

Stock Memo

おいしく保存できるのは
冷蔵庫：1ヵ月

〔材料：作りやすい分量〕

アーモンド（ローストしたもの）
…50g
✻ 玉ねぎ…100g（約中½個）
✻ にんにく…30g（約中3片）
◆ ごま油…100ml
◆ なたね油…100ml
✚ 韓国粉唐辛子…大さじ2
✚ 白ごま…大さじ1
✚ 白味噌…大さじ1
✚ 醤油…小さじ1
✚ 塩…小さじ⅔

〔作り方〕

1

フードプロセッサーにアーモンドを入れて、粗みじんになるまで**ガー**。耐熱性のボウル（または鍋）に取り出しておく。

2

フードプロセッサーに✻を入れて、粗みじんになるまで**ガー**。

3

フライパンに◆、**2**を入れて中火にかけ、焦げないようにときどきかき混ぜながら、濃い揚げ色がつくまで、5～8分熱する。

4

熱している間に、**1**のボウルに✚を加えて、よく混ぜる。

5

4に**3**を加えて、混ぜ合わせる。

Anakichi's Memo

アーモンドは**ガー**しすぎて、すべて潰してしまわないように。かなり粗めのほうがおいしいです。

野菜ぎっしり薩摩揚げ

ガーとガッガッして、揚げる

**にんじんのへた、大根のしっぽ、れんこんのふしの部分、
それから残ってしまった青菜など、どんな野菜も引き受ける懐の広いレシピ！
冷蔵庫のピンチ野菜が絶品に生まれ変わる、魔法のレシピです。**

Stock Memo

おいしく保存できるのは
冷蔵庫：1～2日

※3の状態で
保存します。食べる前に
揚げてください。

［材料：4個分］

✻ お好みの野菜（にんじん、大根、れんこんなど）… 計150g
✻ 塩 … 小さじ¼弱
✻ パン粉 … 大さじ3
✻ 薄力粉 … 大さじ3
✻ 青海苔 … 小さじ2
紅しょうが … 大さじ½
揚げ油 … 適量

［作り方］

1

フードプロセッサーに✻を入れて、細かくなるまで**ガー**。

2

1に紅しょうがを加えて、混ざる程度に**ガッガッ**。

3

2を4等分にして、厚さ8mmの円状に形を整える。

4

フライパンに揚げ油を高温に熱し、**3**を3～4分揚げる。

金時豆のライスコロッケ

ガーとガッガッして、揚げる

豆の風味がしっかりきいた、まん丸コロッケ。
フードプロセッサーでごはんをつくことにより、
衣をつけたり揚げたりするときに、具がバラつかず、油がはねません。

Stock Memo

おいしく保存できるのは
冷蔵庫：1～2日
※4の状態で保存します。食べる前に揚げてください。

［材料：6個分］

- ✻ごはん…1カップ
- ✻金時豆（水煮）A…60g
- 金時豆（水煮）B…20g
- ◆薄力粉…大さじ3
- ◆水…大さじ3
- ◆塩…ふたつまみ
- パン粉…½カップ
- 揚げ油…適量

ごはんはこれくらい細かくつぶれればOK。

［作り方］

1. フードプロセッサーに✻を入れて、金時豆がつぶれるまで**ガー**（photo参照）。
2. **1**に金時豆Bを加えて、混ざる程度に**ガッガッ**（混ぜるだけで、つぶす必要はない）。
3. **2**を6等分にして、丸状に形を整える。
4. ボウルに◆を入れてよく溶き混ぜ、**3**をからめる。さらにパン粉をまぶしつける。
5. フライパンに揚げ油を高温に熱し、**4**をきつね色になるまで1～2分揚げる。

Anakichi's Memo

金時豆を2回に分けて加えるのは、まず**ガー**して全体に味をなじませ、次に**ガッガッ**して食感を残すためです。

ガーして、
揚げる

もっちり揚げボール

**豆腐の水きりは面倒なので、できればしたくありませんね。
余分な水分を高野豆腐に吸わせて作る、
ユニークな自家製がんもどきです。**

Stock Memo

おいしく保存できるのは
冷蔵庫：1～2日
※3の状態で
保存します。食べる前に
揚げてください。

〔材料：8個分〕

高野豆腐 … 1枚
✻木綿豆腐 … 50g
✻玉ねぎ … 20g
✻にんじん
… 15g（約中1/6個）
✻片栗粉 … 20g
✻黒ごま … 小さじ1
揚げ油 … 適量
お好みで大根おろし、醤油
… 各適量

〔作り方〕

1 高野豆腐はたっぷりの水（分量外）に1分ほど浸けて戻し、水気をしっかりと絞る。

2 フードプロセッサーに✻、**1**を入れて、細かくなるまで**ガー**。

3 **2**を8等分にして、丸状に形を整える。

4 フライパンに揚げ油を高温に熱し、**3**を2～3分揚げる。

5 器に**4**を盛り、お好みで大根おろしと醤油を添える。

ガーして、
ごはんに炊き込む

ごぼう中華おこわ

ごぼうの風味がダシ代わりの香ばしいおこわ。
ひと晩もち米を水に浸けたり、蒸し器を用意したりという面倒はいっさいなし。
洗ったもち米とガーしたごぼうを炊飯器に入れるだけで、中華おこわが炊けるんです！

Stock Memo

おいしく保存できるのは
冷蔵庫：2～3日
冷凍庫：2週間

〔材料：2人分〕

ごぼう … 100g（約½本）
ごま油 … 小さじ1
✻ 醤油 … 大さじ½
✻ 塩 … ひとつまみ
✻ おろししょうが … 小さじ1
✻ 松の実 … 小さじ1～2
干ししいたけ（軸を折って取る）… 1枚
もち米 … 1合
熱湯 … 200ml
白こしょう … 少々

〔作り方〕

1

フードプロセッサーにごぼうを入れて、細かくなるまで**ガー**。

2

フライパンにごま油を中火で熱し、**1**を入れて2～3分炒め、火を止める。

3

2に✻を加えて、よく混ぜる。

4

もち米は洗ってザルで水気をきり、炊飯器に入れる。干ししいたけを細かく砕きながら加えて、熱湯を注ぐ。上に**3**をのせて、混ぜないで炊飯スイッチを押す（普通炊きモード）。

5

炊き上がったら、白こしょうをふり、よく混ぜ合わせる。

6

器に盛り、松の実（分量外）を飾る。

Anakichi's Memo

干ししいたけはかたいので、キッチンバサミを使って切るように砕くと細かくしやすいです。

ガーして、
ごはんに混ぜる

菜めし

炊いたごはんに、小松菜を混ぜるだけ。
冷めてもおいしい、クイック菜めしです。
残ったら、おかゆやチャーハンにしてもおいしいですよ。

Stock
Memo

おいしく保存できるのは
冷蔵庫：2～3日

〔材料：2人分〕

米 … 1合
✻ 小松菜（大根葉、かぶの葉でも可）
　… 100g（約2株）
✻ 塩 … 小さじ1
白ごま … 少々

絞りすぎてしまうと、塩気がなくなるので、ほどほどの加減に。

〔作り方〕

1 米は洗って、通常の水加減で炊く。

2 フードプロセッサーに✻を入れて、細かくなるまで**ガー**。

3 **2**の水気をしっかりと絞る（photo参照）。

4 炊きたての**1**に**3**を加えて、よく混ぜ合わせ、白ごまをふる。

ガーして、
ごはんに炊き込む

ひよこ豆とにんじんの
ノンオイルピラフ

バターも油も使っていないのに、パラパラとした食感。
ポイントは絶妙な水加減にありました。
野菜も豆もたっぷり入った、ヘルシーなカレーピラフです。

Stock Memo

おいしく保存できるのは
冷蔵庫：3～4日
冷凍庫：2週間

［材料：2人分］

✻ にんじん … 100g（約中1本）
✻ 塩 … 小さじ1弱
米 … 1合
◆ カレー粉 … 小さじ1
◆ ひよこ豆（水煮） … 100g

［作り方］

1 フードプロセッサーに✻を入れて、細かくなるまで**ガー**。

2 米は洗って、通常の水加減にしたあと、大さじ2の水を取り除く。

3 **2**に◆、**1**を加えて、炊飯器で炊く。

anakichi's Memo

ひよこ豆の代わりに、
金時豆や大豆を使って
もおいしく作れます。

小松菜の水分だけで粉をこねるのは、
フードプロセッサーならでは。
韓国粉唐辛子と白味噌を組み合わせると、
コチュジャン風になって、
しっかりとしたコクのある味に仕上がります。

小松菜のトッポッキ風

ガーして、
粉に練り込む

Stock
Memo

おいしく保存できるのは
冷蔵庫：3〜4日
冷凍庫：2週間

［材料：約20個分］

✻ 薄力粉 … 80g
✻ 小松菜 … 80g（約1½株）
✻ 黒ごま … 小さじ1
玉ねぎ … 50g（約中½個）
ごま油 … 小さじ1
◆ 韓国粉唐辛子 … 小さじ1
◆ 白味噌 … 大さじ1
醤油 … 大さじ1

［作り方］

1

鍋にたっぷりの熱湯（分量外）を沸かしておく。

2

フードプロセッサーに✻を入れて、30秒以上**ガー**。

3

水をつけた手で、**2**をひと口大につまみながら、**1**の鍋に落とす。3分ほど茹でて、ザルにあける（茹で汁はとっておく）。

4

玉ねぎは繊維を断ち切る方向で幅2mmに切る。フライパンにごま油を弱火で熱し、玉ねぎを入れて、フタをして5分ほど蒸らし炒めをする。

5

4に◆、**3**、**3**の茹で汁100mlを加えて、弱火のまま、焦げないようにときどきかき混ぜながら、水分がほとんどなくなるまで炒りとばす。醤油を加えて、よく混ぜる。

しそうどん＆梅うどん

ガーして、
粉に練り込む

**さわやかな風味の２種のうどんは、
麺つゆなしでも、しっかりおいしい！
フードプロセッサーがあれば、手打ちうどんも簡単です。**

Stock Memo

おいしく保存できるのは
常温：2～3時間

※こねた後の
生地の状態で、
乾燥防止のラップをして
保存します。
食べる前にのばして
切り分け、
茹でてください。

〔材料：2人分〕

しそうどん

✻青じそ…10枚
✻薄力粉…50g
✻塩…小さじ¼
水…大さじ1½～2

梅うどん

✻梅びしお…小さじ2
✻薄力粉…50g
水…大さじ1～1½

Anakichi's Memo

生地はかためめに仕上げます。やわらかいと、切り分けるのが難しくなるからです。粉の産地で水分量は変わるので、様子を見ながら調整してください。

〔作り方〕：写真は梅うどんです。

1

フードプロセッサーに✻を入れて**ガー**。

2

1に水を少しずつ加えて、その都度さらに**ガー**。かための生地に練り上げる。

3

台に取り出してこねながらまとめ、乾燥防止のためボウルをかぶせて、10分ほど休ませる。

4

めん棒で薄くのばし、幅5mmに切り分ける。

5

熱湯で8～10分ほど茹でて流水で洗い、しっかりと水気をきる。醤油（分量外）につけていただく。

手の込んだキッシュ生地作りも、
フードプロセッサーがあれば、あっという間。
バジルを練り込めるのも、手作りならではの贅沢です。
面倒な水きりをしなくてすむように、
具には厚揚げを使います。

ミニトマトの水玉キッシュ

ガーとガッガッして、
オーブンで焼く

Stock Memo

おいしく保存できるのは
冷蔵庫：1～2日

〔材料：直径18cmのタルト型1台分〕

- ✻ 薄力粉 … 120g
- ✻ 塩 … 小さじ½
- ✻ バジル（ドライ）… 小さじ1
- ✻ オリーブオイル … 大さじ2
- 水 … 大さじ2～3
- ◆ 厚揚げ … 200g
- ◆ 白味噌 … 大さじ1½
- ◆ ターメリック … 小さじ⅛
- ミニトマト … 15～20個

〔作り方〕

1

オーブンを230℃に予熱しておく。

2

フードプロセッサーに✻を入れて**ガー**。

3

2に水を少しずつ加えて、その都度さらに**ガッガッ**。こねすぎないように注意する。

4

3を台に取り出して押しかため、めん棒でタルト型よりひとまわり大きくのばし、型に敷き込む。

5

生地がふくらまないように、表面にフォークでところどころ穴を開ける。

6

5を予熱したオーブンで20分ほど焼く。

7

フードプロセッサーに◆を入れて**ガー**。

8

6が焼き上がったらオーブンから取り出し、**7**を詰めて、ミニトマトを埋め込むようにのせる。

9

再び230℃のオーブンで20分ほど焼く。

Anakichi's Memo

生地は、何とか均一になるくらいでストップ！ こねすぎてしまうと、かたく焼き上がったり、表面がふくらんでボコボコになったりすることがあります。

Anakichi's Memo

焼き上がったキッシュは、まずパン切り包丁でミニトマトに切れ目を入れます。それから普通の包丁にもち替えて、下までざっくり切るときれいに分けられます。

オーブンで焼いて、ガーする

赤パプリカのディップ

ディップに使う赤パプリカも、つけ合わせの野菜も、
全部一緒にオーブンに入れるので、時間がかかりません。
濃厚な甘味のディップはグリル野菜に添えるほか、パンに塗ったり、
ニョッキにからめたりしても美味。

Stock Memo

おいしく保存できるのは
冷蔵庫：2～3日
冷凍庫：2週間
※赤パプリカのディップのみ。

Anakichi's Memo

塩の代わりに、柚子こしょう小さじ½を加えてもおいしいですよ。

〔材料：作りやすい分量〕

赤パプリカ…2個
にんじん、れんこん、大根
（ともに厚さ5mmの薄切り）、
玉ねぎ（輪切り）
…計300g
✻塩…小さじ⅔
✻オリーブオイル…小さじ1

これくらい水分がなくなればOK。

〔作り方〕

1 赤パプリカ、にんじん、れんこん、大根、玉ねぎは、230℃のオーブンで20分ほど焼く。

2 **1**の赤パプリカは種を取り（皮はついたままでOK）、フードプロセッサーに入れて**ガー**。

3 フライパンを強火で熱し、**2**を入れて、水分がほとんどなくなり、ねっとりするまで炒りとばす（photo参照）。

4 **3**に✻を加えて、よく混ぜる。

5 **1**のにんじん、れんこん、大根、玉ねぎや、お好みのパンなどにつける。

✻ラーメンや餅まで作れちゃう！✻

フードプロセッサーがあれば、
自家製手打ちラーメンや、超簡単つきたて餅が作れます。
家族や仲間と一緒にフードプロセッサーを囲んで、
一緒に作るのも楽しいですね。

重曹マジック！
茹でると、
黄色い麺になる。

プロの職人さんみたい

手打ちラーメン

［材料：作りやすい分量］

✻小麦粉（薄力粉、中力粉、強力粉のどれでも可）…150g
✻重曹…小さじ⅓
✻塩…小さじ½
水…大さじ3～4

［作り方］

1 フードプロセッサーに✻を入れてガー。水を少しずつ加えて、その都度さらにガー。かなりかたいけれど、にぎったらまとまるくらいの生地にする。

2 台に取り出して軽くこねまとめ、パスタマシン（ローラー）を3～4回通して、折りたたみながら、こねあげる。最初は一番厚いところを通し、最後は中程度の厚みに仕上げる。

3 生地がなめらかになったら、パスタマシン（カッター／細麺）を通して、ヌードル状にする。すぐに小麦粉（分量外）をまぶす。

4 熱湯で1分30秒～2分茹でる。茹で時間は麺の太さによって変わるので、様子を見ながら加減して。

できたてを
いただきまーす！

ハレの日の定番

つきたて餅

［材料：作りやすい分量］

もち米…1カップ
✻水…180ml
✻雑穀…大さじ1
餅取り粉（片栗粉）…適量

［作り方］

1 フードプロセッサーに洗ったもち米を入れて、2分ほどガー。

2 炊飯器に✻と1を入れて表面をならし、スイッチオン。ときどきフタを開けて混ぜる。

3 炊き上がったら、濡らしたすりこぎで5分ほどつけば、でき上がり。

4 ひと口大にちぎり、餅取り粉をつけて形を整える。

フードプロセッサーのある一日

フードプロセッサーを使えば
野菜どっさりの食卓に。
こんなふうに組み合わせて、
フル活用しています。

朝ごはん：

忙しい朝、野菜を大量に刻むのは大変ですが、フードプロセッサーがあれば、簡単。あり合わせの野菜をガーして、残りごはんと炒め合わせれば、5分で野菜たっぷり炒飯のできあがり。「菜めし（p.56参照）」も手軽なので、おにぎりにすることも。
それから、冷蔵庫の残り野菜を蒸してガーすれば、パンによく合う野菜ディップに。さらに、豆乳を加えて混ぜれば、あっという間にポタージュにもなります。

お弁当作り：

小さい子どもには、苦手な野菜がたくさん入ったお弁当は食べにくいもの。主食を「金時豆のライスコロッケ（p.52参照）」や「ひよこ豆とにんじんのノンオイルピラフ（p.57参照）」などにすれば、主食だけでも栄養バランスがバッチリだから、あとは好きなおかずを少し入れるだけで、OK。
また、じゃがいもを生のままガーして作る「ポテトのハッシュドバーグ（p.42参照）」は、ボリューム満点でお弁当のおかずにぴったりなので、よく作ります。

おやつ：

本書の4章には、野菜たっぷりのおやつメニューがたくさん載っています。これらのレシピは、お子さんに好きなだけ食べさせてあげられる、安心なものばかり。ぜひ、いろいろ作ってみてくださいね。
また、甘くないボリューム満点のおやつを食べさせたいときには、「中華大根パン（p.86参照）」「大根わかめブレッド（p.86参照）」「青菜の海苔エビ（p.88参照）」などのクイックブレッドがおすすめ。発酵不要なので、「食べたい」とせがまれてから作っても、30分以内に焼き上がるのが魅力。

夜ごはん：

時間に余裕があれば、あらゆる料理を作りたいと思うのですが、忙しくて時間がないときは、やはり、フードプロセッサーにおまかせのメニューが多くなりますね。かなり時間短縮できるので、本当に便利です。
それから、「もう一品、欲しいな」と思ったとき、フードプロセッサーを使えば、面倒だと感じずに気軽にメニューを増やせるのもうれしい。特に本書の1章のメニューが重宝します。

chapter

4

「ガー」「ガッガッ」するから簡単！
スイーツとクイックブレッド

ゆるベジのスイーツとクイックブレッド作りに
フードプロセッサーは欠かせません。
野菜をどっさり使うヘルシーなスイーツと、
野菜の水分だけで粉を混ぜて作るクイックブレッドは、
画期的なレシピです！

春菊団子の黒ごま和え

和食の定番メニュー「春菊の黒ごま和え」を
ヘルシーな和菓子に変身させた、
ユニークなレシピです。
青くささが気にならないので、
春菊嫌いの方にもおすすめ。

Stock Memo

冷蔵庫に入れると
かたくなるので、
保存には向きません。
ぜひ作りたてを
召し上がってください。

〔材料：20 ～ 30個分〕

黒ごま … 50g
✻ てんさい糖 … 大さじ2
✻ 熱湯 … 大さじ1 ～ 2
✻ 塩 … ひとつまみ
白玉粉 … 60g
春菊 … 85 ～ 90g（約4 ～ 5株）

〔作り方〕

1 鍋に熱湯（分量外）を沸かしておく。

2 フードプロセッサーに黒ごまを入れて、すりごま状になるまで**ガー**。

3 容器に**2**を取り出して、✻を加えて、よく混ぜる。

4 フードプロセッサーに白玉粉、春菊85gを入れて、**ガー**。にぎってもまとまらなければ、春菊を少しずつ加えて、さらに**ガー**。ややかための生地にする。

5 **4**を20 ～ 30等分にして、丸状に形を整えて中心をへこませる。**1**の鍋で1 ～ 2分ほど茹で、ザルにあけて水気をきる。

6 **5**に**3**をからめる。

2

3

4

青森県八戸市でおやつとして、
家庭で手作りされてきた「豆しとぎ」。
ご当地出身の知人にいただき、
あまりのおいしさに大感激。
甘みを抑えたあな吉流を作ってみました。
きな粉のような風味です。

八戸名物、豆しとぎ

Stock Memo

おいしく保存できるのは
冷蔵庫：3～4日
※乾燥防止のラップをして保存します。

〔材料：2人分〕
乾燥青大豆…½カップ
水…2カップ
上新粉…60g
✻てんさい糖…大さじ3
✻塩…ふたつまみ
青大豆の茹で汁…大さじ1～2

〔作り方〕

1

乾燥青大豆はサッと洗って鍋に入れ、水を注ぐ。強火にかけ、沸騰したらフタをして弱火にし、20～25分茹でる。

2

1の青大豆がかための枝豆くらいになったら、火を止める。

3

青大豆を茹でている間に、フライパンに上新粉を入れて、中火で1～2分から炒りする。

4

フードプロセッサーに✻、**2**の水気をきった青大豆（茹で汁はとっておく）、**3**の上新粉を加えて、**ガー**。

5

にぎってもぽろぽろと崩れてしまうようなら、青大豆の茹で汁大さじ1～2を加えて、まとまるまで**ガッガッ**。

6

台に取り出して、両手で長さ12cmのなまこ型に押しかため、形を整える。

Anakichi's Memo

青大豆の代わりに、大豆や黒豆を使ってもおいしく作れます。

Anakichi's Memo

青大豆は**ガー**しすぎて、すべて潰してしまわないようにします。粗めのほうがおいしいです。

おからのソイバー

かたさがうまい、
きらず揚げ

かたさがうまい、きらず揚げ

おからで作る揚げ菓子は、かむとポリポリと音がする歯ごたえです。
ある程度の厚みがないと、このかたさは演出できません。
重曹のひなびた風味が郷愁をそそる、昔ながらの味わいです。

Stock Memo

おいしく保存できるのは
常温：4～5日
※湿気のない場所で保存します。

〔材料：作りやすい分量〕

- ✻ 薄力粉 … 50g
- ✻ おから … 50g
- ✻ てんさい糖 … 小さじ2
- ✻ 重曹 … ふたつまみ
- 揚げ油 … 適量

〔作り方〕

1

フードプロセッサーに✻を入れて**ガー**。サラサラに見えても、ギュッとにぎって、粘土のようにまとまればOK（ものすごくかたい生地）。まったくまとまらなければ、おからを少しずつ加えて、調整する。

2

台に取り出して、めん棒で厚さ2～3mmにのばし、2cm四方に切る。

Anakichi's Memo

弱火でじっくりときつね色になるまで揚げるのがコツ。カリッと揚がれば大成功です！油のなかで生地が重なっても、ときどきかき混ぜれば大丈夫です。

3

フライパンに揚げ油を低温に熱し、10分ほど揚げる。

Anakichi's Memo

生地にごまを練り込んだり、揚げたあとにシナモンパウダーをまぶしたりするのもおすすめです。

おからのソイバー

レーズンやフィグなどのドライフルーツをふんだんに使うので、
ノンシュガーでもしっかり甘く、満足感が得られます。
元気をチャージしたい朝ごはんやおやつにぴったりのエネルギーバー。

Stock Memo

おいしく保存できるのは
冷蔵庫：2～3日
冷凍庫：2週間

［材料：作りやすい分量］

✻ ドライフルーツ（レーズン、フィグなど）…計100g
✻ おから…100g
✻ 薄力粉…50g
✻ なたね油…大さじ1
ナッツ（くるみ、アーモンドなど）…計30g

anakichi's Memo

ドライフルーツやナッツは、2～3種類ずつ組み合わせるのがベストです。

［作り方］

1

オーブンを180℃に予熱しておく。

2

フードプロセッサーに✻を入れて、ドライフルーツが粗みじんになるまで**ガー**。

3

2にナッツを加えて、軽く混ぜ合わせるように**ガッガッ**。

4

お好みの型に入れてきつく押しかため、厚さ1.5cmに整える。

5

4を予熱したオーブンで20分ほど焼く。

6

焼き上がったら、型からそっと出して粗熱を取り、ナイフで食べやすい大きさに切る。

ひと口しそおはぎ

道明寺粉を使った和菓子のような、本格的な仕上がりです。
レーズンの甘さとゆかりの酸っぱさに、
青じそのさわやかな香りがほどよくマッチしています。

Stock Memo

保存はせずに、
ぜひその日のうちに
召し上がってください。

［材料：8個分］

✻ごはん … 100g
✻レーズン … 15g
✻ゆかり … 小さじ1½
（お好みで増減）
水 … 適宜
青じそ（半分に切る）… 4枚

［作り方］

1 フードプロセッサーに✻を入れて、レーズンがつぶれてねっとりするまで**ガー**（photo参照）。

2 1を8等分にして、水に濡らした手で俵状に形を整え、青じそで包む。

ごはんはこれくらい細かくつぶれればOK。

むっちり、れんこんゆべし

**せきをしずめ、体を温めてくれる、れんこん。
れんこんファンには、もうたまらない、
れんこんの旨みや甘みが存分に味わえる、むっちりゆべしです。**

Stock Memo

おいしく保存できるのは
冷蔵庫：2〜3日

［材料：15×18cmの流し缶½個分］

✻ れんこん … 100g（約中1節）
✻ 上新粉 … 大さじ3
✻ てんさい糖 … 大さじ1
✻ 味噌 … 大さじ⅓
くるみ … 大さじ2

型が大きければ、半分に
寄せて作る。

［作り方］

1 蒸し器に熱湯（分量外）を沸かしておく。

2 フードプロセッサーに✻を入れて、細かくなるまで**ガー**。

3 流し缶に**2**を入れて、厚さ1.5cmに整える。手でくるみを砕きながら、トッピングする（photo参照）。

4 **3**を**1**の蒸し器に入れて、中火で20分ほど蒸す。

ごぼうのチュロス

フードプロセッサーがあれば、ごぼうの水分だけで粉がこねられます！
甘みを加えなくても、ごぼうの風味だけで十分においしいチュロスは、
ドーナツ型やハート型など、形はお好みで自由に楽しんでください。

Stock Memo

保存はせずに、
ぜひ揚げたてを
召し上がってください。

〔材料：6本分〕

✻ ごぼう … 60g（約中$\frac{1}{3}$本）
✻ 薄力粉 … 50g
✻ ベーキングパウダー … 小さじ$\frac{1}{2}$
揚げ油 … 適量

〔作り方〕

1

フードプロセッサーに✻を入れる。

2

細かくなるまで**ガー**。

3

2を6等分にして、細い棒状に形を整える。

4

フライパンに揚げ油を中温に熱し、2～3分揚げる。

Anakichi's Memo

揚げたあとにてんさい糖をまぶしたりするのもおすすめです。

我が家の夏の定番メニューで、
いつも冷凍庫でスタンバイしています。
作り置きしておくと、本当に重宝しますよ。
とうもろこしそのものを食べているような、
濃厚な味わいです。

とうもろこしのアイス

Stock Memo

おいしく保存できるのは
冷凍庫：2～3週間

［材料：作りやすい分量］

- ✻ 冷凍粒コーン … 1カップ
- ✻ 上新粉 … 大さじ1½
- ✻ 無調整豆乳A … 100ml
- ◆ 無調整豆乳B … 100ml
- ◆ メープルシロップ … 大さじ1
- ◆ 白味噌 … 小さじ⅔
- ◆ 塩 … 小さじ⅙

メープルシロップ … 適宜

1

鍋に✻を入れてヘラでよく混ぜ合わせ、中火にかける。沸騰したら、粉くささが抜けるまで1分ほど練り混ぜて、火を止める。

2

1に◆を加えて、よく混ぜる。

3

2をフタのある保存容器に流し入れ、粗熱が取れたら、冷凍庫で凍らせる。

anakichi's Memo

白味噌（p.93参照）を加えることで、豆乳くささが消えて食べやすくなります。

4

食べるときに、フードプロセッサーにざく切りにした**3**を入れて、なめらかになるまで**ガー**。

5

味見をして薄ければ、メープルシロップで味をととのえる。

にんじんレーズン蒸しパン

必要最小限の材料を使って、にんじんの甘味を最大限に引き出しました。
レーズンの存在感を生かすため、
細かくせず、ざっと混ぜる程度にガッガッすれば十分です。

Stock Memo

おいしく保存できるのは
冷蔵庫：2～3日
※食べる前に
蒸しなおしてください。

［材料：4個分］

✻ にんじん…60g（約中$\frac{3}{5}$本）
✻ 薄力粉…50g
✻ ベーキングパウダー…小さじ$\frac{1}{2}$
レーズン…大さじ2

［作り方］

1 蒸し器に熱湯（分量外）を沸かしておく。

2 フードプロセッサーに✻を入れて、にんじんが細かくなるまで**ガー**。

3 2にレーズンを加えて、混ぜる程度に**ガッガッ**。

4 3を4等分にして、カップなどに入れる。

5 1の蒸し器に並べて、強火で10分ほど蒸す。

じゃがいもと白ごまのプリン

**実に不思議な組み合わせのプリンですが、
食べると納得ですよ。
じゃがいものねっとり感で、やさしい食感のプリンに。**

Stock Memo

おいしく保存できるのは
冷蔵庫：2〜3日

〔材料：口径7cmのプリン型4個分〕

白ごま … 大さじ2
✻ じゃがいも（蒸して皮をむく）
… 80g（約中1個）
✻ てんさい糖 … 大さじ3
✻ 塩 … ふたつまみ
✻ 粉寒天 … 小さじ1
無調整豆乳A … 100ml
無調整豆乳B … 100ml

〔作り方〕

1 フードプロセッサーに白ごまを入れて、すりごま状になるまで**ガー**。

2 **1**に✻を加えて、さらに**ガー**。

3 **2**に無調整豆乳Aを少しずつ加えて、なめらかになるまで**ガー**。

4 鍋に**3**を入れて強火にかけ、混ぜながら1分ほど煮立て、火を止める。

5 **4**に無調整豆乳Bを加えて、よく混ぜる。型に流し入れ、粗熱が取れたら、冷蔵庫で冷やす。

Anakichi's Memo

無調整豆乳を2回に分けて加えるのは、粗熱を取る時間を短くしたいからです。

ジンジャージャム3種

しょうがのパンチがきいた、刺激的な大人のジャム。
「体がぽかぽかしてくる」と女性に大人気のレシピです。
そのまま食べたり、パンに塗ったり、お湯に溶いてホットドリンクにも。

Stock Memo
おいしく保存できるのは
冷蔵庫：3～4日
冷凍庫：1ヵ月

ジンジャー大根ジャム

［材料：作りやすい分量］

✻しょうが
…10g（約中1片）
✻大根
…100g（2～3cm）
100%りんごジュース
…200ml
◆片栗粉…小さじ⅔
◆水…小さじ1

［作り方］

1 フードプロセッサーに✻を入れて**ガー**。

2 鍋に**1**、100%りんごジュースを入れて強火にかけ、焦げないようにかき混ぜながら、水分がほとんどなくなるまで、15分ほど煮詰める。

3 **2**に◆をよく溶き混ぜて加え、とろみがついたら、火を止める。

ジンジャー大根ジャム

ジンジャーれんこんジャム

ジンジャーれんこんジャム

〔材料：作りやすい分量〕

✻ しょうが … 10g（約中1片）
✻ れんこん … 100g（約中1節）
100％りんごジュース … 200ml

〔作り方〕

1 フードプロセッサーに✻を入れて**ガー**。

2 鍋に**1**、100％りんごジュースを入れて強火にかけ、沸騰したら弱火にし、焦げないようにときどきかき混ぜながら、フタをして20分ほど煮詰める。かたさはお好みで調整して。

ジンジャーキャロットジャム

〔材料：作りやすい分量〕

✻ しょうが … 10g（約中1片）
✻ にんじん … 100g（約中1本）
100％みかんジュース … 200ml
◆ 片栗粉 … 小さじ⅔
◆ 水 … 小さじ1
シナモンパウダー … 小さじ⅛

〔作り方〕

1 フードプロセッサーに✻を入れて**ガー**。

2 鍋に**1**、100％みかんジュースを入れて強火にかけ、沸騰したら弱火にし、焦げないようにときどきかき混ぜながら、水分がほとんどなくなるまで、フタをして15分ほど煮詰める。

3 **2**に◆をよく溶き混ぜて加え、とろみがついたら、火を止める。シナモンパウダーを加えて、よく混ぜる。

ジンジャーキャロットジャム

中華大根パン

フライパンで生地を焼くだけと、
超簡単にできあがる
「大根餅」ならぬ大根パン。
中華料理によく合います。

大根わかめブレッド

わかめの旨みが詰まった、
カリッと香ばしいクイックブレッド。
白味噌は、焦げ目を
つけるために加えました。

中華大根パン

Stock Memo

おいしく保存できるのは
冷蔵庫：3～4日
冷凍庫：2週間
※食べる前にフライパンやオーブン、オーブントースターで温めなおしてください。

〔材料：1枚分〕

✻ 強力粉 … 150g
✻ ベーキングパウダー … 小さじ1
大根 … 110～130g（3～4cm）
ごま油 … 小さじ2
塩 … 小さじ¼

〔作り方〕

1 フードプロセッサーに✻を入れて**ガー**。

2

1に大根110gを加えて、30秒から1分ほど**ガー**。かたいようなら、さらに大根を10gずつ加えて、**ガー**。いわゆる「耳たぶのかたさ」に練り上げる。

3 **2**を台に取り出して、めん棒で直径20～25cmの円形にのばす。

4

フライパンにごま油をごく弱火で熱し、**3**を入れて、表面に塩をふる。ごく弱火のまま、フタをして片面3～4分ずつ焼く。

Anakichi's Memo

塩は生地に混ぜずに、表面にふりかけるのが、おいしさのポイントです。

大根わかめブレッド

Stock Memo

おいしく保存できるのは
冷蔵庫：3～4日
冷凍庫：2週間
※食べる前にフライパンやオーブン、オーブントースターで温めなおしてください。

〔材料：2個分〕

✻ 強力粉 … 150g
✻ ベーキングパウダー … 小さじ1
◆ 乾燥わかめ … 大さじ1
◆ 白味噌 … 小さじ1
大根 … 110～130g（3～4cm）

〔作り方〕

1 オーブンを180℃に予熱しておく。

2 フードプロセッサーに✻を入れて**ガー**。◆を加えて、さらに**ガー**。

3 中華大根パンの作り方**2**と同様にする。

4 **3**を台に取り出して、2等分にし、めん棒で直径6cmの円形にのばす。

5

星形に成形する。まず中心に切り込みを入れる。このとき、全部切らずに先端を⅛ほど残しておく。切り口を開いて、さらに2ヵ所ずつ、切り込みを入れる。最後に端と端を合わせる。

6 **5**を予熱したオーブンで20分ほど焼く。

青菜の海苔エビ

エビは成形しやすいように、
生地はかために仕上げます。
パリッと焼き上げると、
青くささがおいしさに変わります。

青菜のおつまみ揚げパン

ちぎりやすくするために、
生地はやわらかめに仕上げます。
クミンシードの代わりに、
カレー粉やこしょうを使っても。

青菜の海苔エビ

Stock Memo

おいしく保存できるのは
冷蔵庫：3～4日
冷凍庫：2週間
※食べる前にオーブンやオーブントースターで温めなおしてください。

［材料：2本分］

- ✻ 強力粉 … 150g
- ✻ ベーキングパウダー … 小さじ1
- ◆ 塩 … 小さじ⅙
- ◆ なたね油（サラダ油でも可） … 小さじ1
- ◆ 白味噌 … 小さじ1
- 青菜（小松菜、大根葉、かぶの葉など） … 100～110g
- ごま油 … 小さじ½
- 塩 … ふたつまみ
- 海苔 … ½～1枚

［作り方］

1 オーブンを180℃に予熱しておく。

2 フードプロセッサーに✻を入れて**ガー**。◆を加えて、さらに**ガー**。

3

2に青菜100gを加えて、30秒から1分ほど**ガー**。かたいようなら、さらに青菜10gを加えて、**ガー**。

4

3を台に取り出して、2等分にし、めん棒で長方形（10×25cm）にのばす。それぞれの生地に、ごま油を半量ずつのばして、塩ひとつまみをふり、半量ずつの海苔をのせたら、巻き込んで棒状にする。

5

オーブンシートを敷いた天板に**4**を並べ、キッチンバサミで切り込みを入れながら、刃先で生地を左右交互に倒す。

6 **5**を予熱したオーブンで30分ほど焼く。

Anakichi's Memo

青菜を少なめに入れて、生地をかたくします。

青菜のおつまみ揚げパン

Stock Memo

おいしく保存できるのは
冷蔵庫：3～4日
冷凍庫：2週間
※食べる前にフライパンやオーブン、オーブントースターで温めなおしてください。

［材料：15～16個分］

- ✻ 強力粉 … 150g
- ✻ ベーキングパウダー … 小さじ1
- ✻ 塩 … 小さじ⅙
- 青菜（セロリの葉、小松菜、大根葉、かぶの葉など） … 110～120g
- クミンシード … 大さじ1
- 揚げ油 … 適量

［作り方］

1 フードプロセッサーに✻を入れて**ガー**。

2 **1**に青菜110gを加えて、30秒から1分ほど**ガー**。かたいようなら、さらに青菜10gを加えて、**ガー**。最後にクミンシードを加えて、混ぜるように**ガッガッ**。

3

フライパンに揚げ油を中温に熱し、**2**をひと口大にちぎりながら5～6分揚げる。

Anakichi's Memo

青菜を多めに入れて、生地をやわらかくします。

赤パプリカといんげんの
米粉ケークサレ

にんじんくるみの
クランブルブレッド

赤パプリカといんげんの米粉ケークサレ

米粉ならではの
もっちり＆しっとり感が楽しめます。
鮮やかな色の野菜を使って、
切り口を華やかに演出します。

Stock Memo　おいしく保存できるのは
冷蔵庫：2～3日

［材料：21×8cmのパウンド型1台分］

オリーブオイル … 小さじ1
✻ 赤パプリカ（厚さ5mmのせん切り）… 1個
✻ いんげん（筋を取って3等分に切る）… 10本
✻ 塩 … ふたつまみ
✻ 黒こしょう … 少々
◆ 米粉 … 150g
◆ ベーキングパウダー … 小さじ2
◆ 塩 … 小さじ⅓
◆ 玉ねぎ … 150g（約中¾個）
◆ オリーブオイル … 大さじ1

［作り方］

1 オーブンを180℃に予熱しておく。

2 フライパンにオリーブオイルを中火で熱し、✻を入れて4～5分炒め、粗熱を取る。

3 フードプロセッサーに◆を入れて、30秒から1分ほど**ガー**。かたすぎるようなら、さらに玉ねぎ50～100g（分量外）を加えて、**ガー**。**2**のフライパンに加えて、よく混ぜる。

4 パウンド型に**3**を入れて、予熱したオーブンで30分ほど焼く。

Anakichi's Memo

米粉は、スーパーマーケットで「上新粉」として売られているものでOKです。

にんじんくるみのクランブルブレッド

わざと水分を減らし、
しっかりと表面を焼くことで、
ホロホロとした独特の食感に
仕上げました。

Stock Memo　おいしく保存できるのは
冷蔵庫：2～3日

［材料：1枚分］

✻ にんじん … 100g（約中1個）
✻ 塩 … 小さじ⅓
くるみ … 20g
◆ 米粉 … 80g
◆ ベーキングパウダー … 小さじ2
◆ ドライバジル … 小さじ1
◆ トマトジュース（有塩）… 大さじ4

［作り方］

1 オーブンを180℃に予熱しておく。

2 フードプロセッサーに✻を入れて、細かくなるまで**ガー**。くるみを加えて、混ぜ込むように**ガッガッ**。

3 ボウルに◆を入れて混ぜ、3/4量の**2**を加えて、ヘラでよく混ぜる。

4 オーブンシートを敷いた天板に**3**を移し、円状に形を整える。残りの**2**を表面に押さえつけ、予熱したオーブンで30分ほど焼く。

フードプロセッサー Q&A 2

Q ボウル（容器）のまわりに
食材が飛び散って、
均一に混ぜられません。

A シリコンヘラを活用します。

ボウルの側面や上部に食材をくっつけたままにしておくと、食材の混ざり方にむらが生じてしまいます。そんなときは、シリコンヘラでぬぐって軽く混ぜてから、ガーやガッガッするとうまくいきます。

小さめのシリコンヘラが便利。

Q ナイフカッターの刃に
食材が残って、もったいない！
どうすればよいでしょう。

A 1～2秒、**ガーッ**と
空まわししてください。

刃についた食材は、ヘラでぬぐっても取りにくいものです。そんなときは容器の中身をある程度取り出してから、1～2秒だけガーッと空まわししてください。あっという間に食材がふり落とされて、刃はきれいになります。

Q ナイフカッターの内部の汚れが
落とせません。
お手入れ方法を教えてください。

A 漂白すればキレイになります。

ナイフカッターの内部は細く入り組んでいるので、ブラシなどでは汚れが落としにくく、カビが生えてしまうこともあります。食材に直接触れる部分ではありませんが、定期的にお手入れしましょう。ボウルなど適当な器にナイフカッターがかぶるくらいの熱湯を注ぎ、酸素系漂白剤大さじ1～2を加えて、20～30分浸けておくだけ。汚れが取れて、サッパリ清潔になりますよ。

ひと晩浸け置きしておいてもOK。

調　味　料　と　食　材　に　つ　い　て

ゆるベジは、「肉」「魚」「卵」「乳製品」だけでなく、「砂糖」や「だし」も使わないシンプルな調理法が特徴です。なので調味料のおいしさが料理の味に大きく影響します。私の愛用する調味料は、生活クラブ生協のものが中心。生活クラブ生協では、自然食品店と同程度か、それ以上の品質のものが、驚くほど安価で購入できるので、とても気に入っています（通信販売もあり）。毎日おいしいごはんを手早く作るため、調味料と食材選びに、ぜひこだわってみてくださいね。

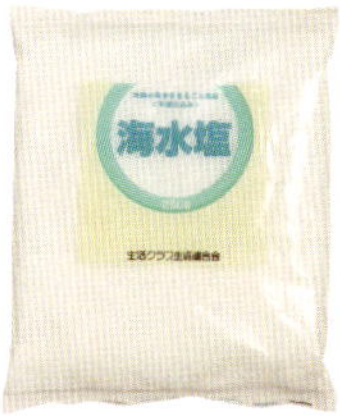

海水塩

おすすめは「自然塩」。私は「国産品」であることも、選ぶ基準にしています。この海水塩は、沖縄県糸満市海域の海水だけを原料に、平釜でじっくりと煮詰めて、木箱で乾燥させたものです。

発売元：生活クラブ生協

マルサン有機豆乳無調整

豆乳には、「調整」と「無調整」があります。「調整」された豆乳には添加物が多く含まれるので、使いません。使うのは「無調整」のみ。豆乳はメーカーによって味が変わります。私は豆乳くささが苦手なので、大豆固形分の低いサラッとしたものを使っています。豆乳くささが気になったら、水で薄めてもいいですよ。

発売元：マルサンアイ株式会社

マルクラ白みそ

「白味噌（西京味噌）」とは、米を発酵させた自然の甘みをもつ味噌のこと。成分は米、大豆、塩のみ。人工甘味料や酒精などを含むものもあるので、必ず成分を確認しましょう。長期保存は冷凍庫がベター。アイスクリーム状になり、かたく凍りません。普通の味噌では代用不可。

発売元：マルクラ食品有限会社

＊自然食品店などで購入可能

国産100％なたね油

自給率1％以下の希少な国産なたねを使っています。加えて、薬品を一切使用せず、昔ながらの「圧搾」方式で搾油しているのも大きな特徴。ほかのなたね油を選ぶときも、「圧搾」の表示があるものをなるべく選びましょう。

発売元：生活クラブ生協

＊一部の大手スーパーマーケットや自然食品店などでも購入可能

ヤマキウ元祖秋田味噌

国産の地大豆を1年半かけて天然醸造した完熟味噌で、旨みが濃いのでお気に入りです。野菜を煮て、この味噌を加えるだけで、だしを使わなくても、おいしい味噌汁に仕上がるほど。

発売元：小玉醸造株式会社

＊一部の大手スーパーマーケットや秋田物産展、小玉醸造のHPなどで購入可能

天然醸造丸大豆醤油

国産の丸大豆を直径3mの杉桶で1年かけて熟成させたもの。本格的な味わいで、薄めるだけで、めんつゆの代わりになります。

発売元：生活クラブ生協

→p.96の問い合わせ先参照。

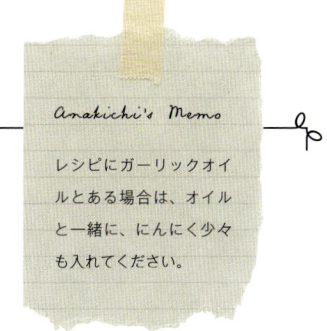

anakichi's Memo

レシピにガーリックオイルとある場合は、オイルと一緒に、にんにく少々も入れてください。

ガーリックオイル

Stock Memo

おいしく保存できるのは
冷蔵庫：3週間
冷凍庫：3～4ヵ月

＊冷凍すると、なたね油はバターのような状態に。私はそのまま切って使っています。

［材料：作りやすい分量］

にんにく … 適量
なたね油（サラダ油でも可）… 適量

［作り方］

1 フードプロセッサーににんにくを入れて、細かくなるまで**ガー**。

2 フタのある保存容器に**1**を入れて、たっぷりのなたね油を加える。

食材から料理を引ける 素材別 INDEX

おわりに

野菜をいっぱい食べたい、食べさせたい。そう思っていても、例えばにんじん１本包丁で刻んで……、なんてレシピだったら、やっぱり面倒で作れない日もあると思うんです。特に仕事や育児で忙しい人なら、なおさらのこと。

３人の子育てをしながら仕事をして、忙しい日々を過ごしている私ですが、市販のお総菜や外食にほとんどお世話にならずにすんでいるのは、ひとえにフードプロセッサーのおかげ。朝には食欲がわかない息子のためのポタージュ作りから始まり、こっそり野菜を練り込んだおやつを作り、そしてもちろん夕飯にと、使わない日はほとんどありません。

ゆるベジは、野菜しか食べちゃいけない、というストイックなライフスタイルではありません。でも、不足しがちな野菜をたっぷりと食べたいと、誰しも願っていると思うから、今日も簡単＆ヘルシーごはんで、元気いっぱいに過ごしていきましょ！

profile

浅倉 ユキ/あさくら ゆき

ゆるベジ料理研究家。
肉、魚、乳製品、卵、砂糖、みりん、酒、ブイヨン、だしを一切使わないベジタブル料理の教室「another ~ kitchen（アナザー・キッチン）」主宰。通称“あな吉さん”。
100％植物性の材料＋スーパーシンプルな作り方で、目も舌もお腹も満足できて、徹底的に体にやさしく、作る人も食べる人もハッピーになるレシピが注目を集める。口コミで「野菜だけなのに、しっかり甘い！　コクがある！　お肉好きの夫や子どもも納得のパンチのある味、そして簡単！」と人気が広がり、教室は常に予約待ち。東京・荻窪の教室「another ~ kitchen」でさまざまな講座を開催するほか、出張料理教室で全国をまわったり、助産院や保育園での講演、医療従事者専門のセミナーの講師なども務める。
著書に『あな吉さんのゆるベジ料理教室』『あな吉さんのゆるベジ10分レシピ』『あな吉さんのゆるベジ“野菜100％！”お弁当教室』『あな吉さんのゆるベジ異国風ごはん』『あな吉さんのゆるベジ“野菜100％”おもてなしバイブル』『あな吉さんのゆるベジ焼き菓子教室』（いずれも河出書房新社）、『ゆるベジ流“いえ飲み”レシピ あな吉さんの100％野菜deおつまみ』（主婦の友社）、『子どもに野菜を食べさせたい！ あな吉さんの一番かんたんで、おいしい、ゆるベジレシピ』（西東社）など。
女の子2人、男の子1人の母。

特設サイト

「あな吉さんのゆるベジ料理教室」
http://anakichi.jp/

楽天ブログ
「浅倉ユキ(あな吉)の、ゆるベジごはん」
http://plaza.rakuten.co.jp/anakichi/

カフェグローブ連載
「ゆるベジなキッチン」
http://www.cafeblo.com/vegetable/

mixiコミュニティ
「ゆるベジ料理教室@荻窪（あな吉）」
http://mixi.jp/view_community.pl?id=1250129

Staff

調理アシスタント
宮嵜夕霞　藤森清佳　田島名穂子　長谷川笑子
鵜飼久子　高森圭子　萩宇田さやか　浦野裕代
三方鈴栄　関根しのぶ　小谷菜津子　城内友美　関本真紀

撮影　馬場わかな
アートディレクション　鳥沢千紗（sunshine bird graphic）
スタイリング　檀野真理子
編集　本村範子（本村アロテア事務所）

器協力
ジャーナルスタンダード　ファニチャー
東京都渋谷区神宮前6-19-13　1F・B1
電話:03-6419-1350
http://js-furniture.jp/

アワビーズ
東京都渋谷区千駄ヶ谷3-50-11　明星ビルディング5F
電話:03-5786-1600
http://www.awabees.com/

肉・魚・卵・乳製品・砂糖・だし不要！
あな吉さんのゆるベジ
フードプロセッサーで
野菜どっさりレシピ
「ガー」「ガッガッ」ですぐできる！　簡単おいしい野菜メニュー

2010年11月20日　初版印刷
2010年11月30日　初版発行

著者　浅倉ユキ
発行者　若森繁男
発行所　株式会社河出書房新社
〒151-0051　東京都渋谷区千駄ヶ谷2-32-2
電話　03-3404-1201（営業）
03-3404-8611（編集）
http://www.kawade.co.jp/
印刷・製本　図書印刷株式会社

Printed in Japan
ISBN978-4-309-28234-3

調味料と食材の問い合わせ先

生活クラブ生活協同組合
電話:03-5285-1771
http://www.seikatsuclub.coop

マルクラ食品有限会社
電話:086-429-1551

小玉醸造株式会社
電話:018-877-2100
http://www.kodamajozo.co.jp

マルサンアイ株式会社
電話:0120-92-2503
http://www.marusanai.co.jp